Noi abitanti di Dragolandia non
avevamo mai pensato che potesse
esistere un altro mondo oltre
al nostro, ma da quando abbiamo
conosciuto gli abitanti del bosco,
per Dragolandia è cominciata
una nuova era.
A parte qualche discussione iniziale,
ora siamo in buoni rapporti!
E non lasciatevi ingannare dalle
apparenze: anche se siamo brutti e
maneschi, sicuramente vi saremo
simpatici!

Il drago capo
Dragoré

Illustrazioni di Tony Wolf

www.giunti.it

© 2002 Giunti Editore S.p.A.
Via Bolognese, 165 - 50139 Firenze - Italia
Via Dante, 4 - 20121 Milano - Italia

Ristampa					Anno				
34	33	32	31	30	2010	2009	2008	2007	2006

Stampato presso Giunti Industrie Grafiche S.p.A. – Stabilimento di Prato

Tony Wolf

Storie del Bosco

Draghi

DAMI EDITORE

Dragolandia

Dragolandia è una valle primitiva abitata da draghi di ogni specie.

È circondata da altissime montagne al di là delle quali si trova il villaggio degli gnomi, in cui vivono anche tutti gli animali del bosco, il gigante Barbarossa, Pignasecca, la fata nera, e i tre folletti Aceto, Zenzero e Peperino.

Ma abitanti del bosco e abitanti di Dragolandia hanno vissuto per millenni in modo completamente diverso, senza sapere di essere così vicini tra loro.

I draghi hanno una vita abbastanza tranquilla... a parte quando litigano! Non si può certo dire che siano cattivi, anzi... Sono solo un po' maneschi e, quando bisticciano, fanno un sacco di baccano! Per fortuna il più delle volte fanno subito la pace e tutti i litigi alla fine si risolvono con una gran risata!

Comunque tutti sanno che il drago adulto è molto più tranquillo dei suoi piccoli, che sono invece delle vere e proprie pesti sempre pronte a combinare guai. "Speriamo che non mi prenda, altrimenti per me sono guai!", pensa Draguzzo, un cucciolo di drago, scappando dal nido di un Colloblù dopo aver cercato di rubargli le uova.

A modo loro gli abitanti di Dragolandia sono abbastanza bravi a risolvere i problemi pratici, anche se sono molto pigri e preferiscono una vita un po'... primitiva! Ognuno al villaggio ha un compito preciso: per esempio, le Pikkiette e i Paperosauri, con i loro becchi lunghi, sono specializzati nello scavare grotte nella roccia e i Patadraghi, grossi draghi con il naso a patata, sono impiegati per il funzionamento delle macine o per i trasporti pesanti.

"Buono questo panino imbottito!"

"Il pranzo è pronto!" gridano le draghe, le mogli dei draghi, e tutti si ritrovano a tavola in un baleno!
"Ehi, Spilundragone! Non cominciare subito a mangiare quello che non ti spetta!" esclama un Cicciodrago.
"E tu, Cangurillo, non laverai mica la frutta nel succo di mirtilli, eh? Guarda che ti tiro le orecchie!"
Insomma, gli abitanti di Dragolandia sono un po' attaccabrighe, ma, in fondo, nessuno è perfetto...

Pronti? Via!

Dragoré, il drago capo di Dragolandia, conosce bene il suo villaggio: "Sono tutti bravi ragazzi, ma un po' irrequieti. È meglio tenerli occupati o cominciano ad azzuffarsi tra loro... Penso che questa volta organizzerò una gara di velocità!"

È deciso! La gara sarà disputata lungo il Gran Circuito delle Montagne Rocciose. I concorrenti cercano di aggiudicarsi il miglior animale per trainare il proprio veicolo. "Allora, Cornopippus, siamo d'accordo: se vinciamo si fa a metà" propongono Draghetto e Draguzzo, i due fratellini più dispettosi di Dragolandia.

"Ci siamo messi d'accordo con degli amici e siamo sicuri di vincere!" aggiungono sottovoce.

Anche gli spettatori parteciperanno alla gara, ostacolando gli avversari e aiutando in tutti i modi il proprio favorito.

Il povero Dragoré si affanna a ripetere: "Siate sportivi e corretti, non comportatevi male... e rispettate l'avversario. Non fatemi fare brutte figure, ragazzi! Ricordatevi che vince chi passa sotto il collo dello Spilundragone dopo tre giri di circuito" spiega. "E non fatevi male! Ricordate l'ultima gara? Nei giorni successivi sembrava di essere in ospedale..."

La gara sta per cominciare.

"Per mille rocce rocciose, partecipano anche quelle due pesti di Draghetto e Draguzzo?" chiede preoccupato uno dei concorrenti.

"Avranno escogitato qualche tranello, ci scommetto la coda!" ribatte un altro.

Tutti pronti? Via!

Già al primo giro si comincia a capire come andrà a finire la corsa.

Al secondo giro gli spettatori hanno terminato le uova da gettare sui concorrenti avversari e al terzo lanciano ormai tutto quello che hanno a portata di zampa... ma proprio tutto!

I draghetti sono scatenati:

"Dai, Cornopippus," incitano il loro compagno di squadra "supera quello zuccone di Cicciodrago! E tu! Beccati questa noce di cocco!" grida Draguzzo al concorrente che li precede.

"Dimmi, dimmi," si informa intanto

Dragoré che, a causa dell'età, non ci vede più molto bene "come si comportano?"

"Beh, sì, insomma, stanno facendo una... bella gara!" risponde un cangurillo.

"Eh, già, che cosa c'è di meglio di un po' di sano divertimento? Ah! Anch'io, quand'ero giovane..." sospira Dragoré.

Tra sorpassi, lanci di uova, urla, fischi e tiri di fionda, la gara prosegue senza esclusione di colpi! Cose simili succedono solo a Dragolandia!

"Speriamo che i nostri amici ci aiutino come hanno promesso" pensa intanto Draghetto.

Il traguardo è ormai in vista.

Gli amici dei draghetti, come d'accordo, offrono allo Spilundragone una zucchina gigante imbottita, di cui è molto ghiotto.

Lo Spilundragone, goloso com'è, che fa? Allunga il collo per mangiare il suo cibo preferito e... sbarra la strada agli altri concorrenti!

"Urrà!" gridano i draghetti, passando sotto il collo dello Spilundragone. "Ce l'abbiamo fatta! Siamo arrivati primi!"

I due draghetti ricevono il premio (la corona d'alloro di pietra e la coppa, ovviamente anche questa di pietra!) da Dragoré:

"Mi fa proprio piacere consegnarvi il premio, ragazzi. Comportatevi sempre da gentildraghi e non ve ne pentirete."

E mentre i draghetti festeggiano allegramente, al povero Spilundragone tutti lanciano delle brutte occhiate perché... non è rimasto al suo posto!

"Ma cosa fa quel pancione? Rovina sempre tutto!"

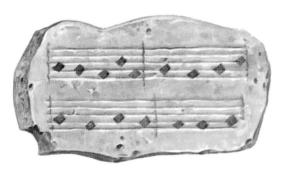

spartito per coro

Coccodraghi!

Sapevate che i Coccodraghi sanno cantare? Non solo lo sanno fare, ma sono anche bravissimi! Basta insegnarglielo quando sono piccoli, appena usciti dall'uovo. Peccato però che crescendo diventino tremendamente stonati, forse perché i loro denti diventano troppo lunghi...

"Adesso canteremo: "Il sole splende sempre a Dragolandia..." Un, due, tre, forza, tutti insieme!" diceva la Maesdraga.

"Domani dobbiamo andare a fare scorta di uova, al Grande Stagno Giallo... ci vogliono altri Coccodraghetti per il coro" pensa Draguzzo.

*"Ripetete con me... o vi do
una bacchettata sulle orecchie!"*

"Ehi, Draghetto, oggi però ci vai tu a remare sulla Tartadruga, l'altra volta mi sono preso uno spavento... per poco un Coccodrago mi mangiava la coda!"

"Va bene, tu però stai attento a non far cadere neanche un uovo: sono così puzzolenti che c'è da svenire ad annusarne uno. Chissà come mai alle Pikkiette piacciono tanto..."

Così nella spedizione i due draghetti si fanno accompagnare dalle Pikkiette, gli uccelli col becco a cavatappi golosi di uova di Coccodrago, e dai Dragoziotti che, se ce ne sarà bisogno, al momento giusto lanceranno delle pietre sui Coccodraghi per distrarli.

La Tartadruga verrà usata come barca, per scappare a tutta velocità dopo che Draguzzo si sarà impadronito delle uova.

"Ehi, Pikkietta, non ti metterai a bere le uova di Coccodrago proprio ora... che puzza! Non ne aprirai mica un altro? Non la senti questa puzza terribile?"

"Ehm, scusa, non ho fatto colazione stamattina... ma che puzza e puzza! Non senti che profumino di uova stagionate... chissà di che annata saranno... mmmh, che delizia!"

"Sbrigatevi, voi due, o ci rimetto la coda" supplica Draghetto, che dei due fratelli è il meno coraggioso.

"Dai, rema, ne ho prese abbastanza!" e i due draghetti si allontanano sulla Tartadruga.

"Certo che tu, Draghetto, non sei molto coraggioso" lo stuzzica il fratello. "Anzi, diciamo pure che sei un po' fifone... Un vero drago, invece, non ha paura di niente!"

"Fifone io? Ora ti faccio vedere..." ribatte Draghetto. "Sì, forza, fammi vedere! Torna indietro e vediamo se hai il coraggio di portarmi un dente di Coccodrago! Eh?! Scommettiamo... venti uova di Colloblù?" chiede Draguzzo, già sicuro di vincere.

"Ehm, venti mi sembrano tante..." cerca di tirarsi indietro Draghetto.

"Be', se hai paura..."

"Ma no, va bene" conclude il poverino, senza sapere come farà a vincere la scommessa. Draghetto non è tanto coraggioso, ma è molto ingegnoso, e comincia a riflettere. Come farà a strappare un dente a un Coccodrago?

Il povero Draghetto è molto triste. Che figura farà al villaggio? Di certo non avrà il coraggio di farsi vedere in giro... "Ho trovato!" grida a un tratto. "Basta tenergli la bocca aperta!" e preso un bastone della lunghezza giusta, corre verso lo Stagno Giallo. Si ferma davanti a un grosso Coccodrago che sta dormendo al sole e gli fa il solletico sul naso con un filo d'erba.

"Aagh!" fa il Coccodrago spalancando l'enorme bocca. Draghetto, con le zampe che gli tremano dalla paura, infila svelto il bastone in bocca al Coccodrago, facendolo restare... a bocca aperta!

Strappato il dente, il draghetto torna di corsa al villaggio per mostrarlo a tutti.

"Vedi, Draguzzo," dice al fratello "a volte nella vita serve più l'intelligenza che il coraggio!"

"Ih! Ih! Ih!"

Franz,
lo gnomo nero

Come ogni Saurodì (il giorno corrispondente al venerdì nel calendario di Dragolandia), Dragopapà, il padre di Draghetto e Draguzzo, va a raccogliere le noci di Coccus Prelibatus che, infatti, impiegano giusto una settimana a ricrescere e a maturare. Fischiettando, Dragopapà raccoglie le noci e si avvia verso casa. Ma attenzione! Qualcuno lo sta spiando...

"Il prossimoz Saurodì, ti faccioz vedere io, bestionez! Vedraiz che scherzetto ti combinoz, parolaz di Franz, lo gnomo neroz!" pensa Franz fra sé e sé.

Eh sì, perché lo gnomo con lo strano modo di parlare che spia Dragopapà è proprio Franz, uno gnomo esiliato dal popolo degli gnomi un secolo e mezzo

fa per aver commesso delle azioni malvagie. Da allora gli gnomi non hanno più voluto saperne di lui e Franz ha sempre covato vendetta.

"Mi servirò di Dragopapà per vendicarmiz! Diventerò il capoz del villaggioz e costringerò tutti gli gnomiz a lavorare per mez!"

Dragopapà, un drago buono ma un po' ingenuo, non può neanche immaginare i guai che lo aspettano. Passa una settimana e a mezzogiorno ecco che Dragopapà si avvia a fare provviste.

"Accidenti, c-che cosa v-vedo? (Quando è emozionato, Dragopapà ha la tendenza a balbettare). Ben s-sei noci di Coccus Prelibatus, g-già mature?" e, così dicendo, infila la zampona nel

"Eccoz comez mi vendicherò..."

15

buco che Franz ha fatto nell'albero. Dragopapà ha un solo difetto: è molto goloso e, di fronte a una noce di Coccus prelibatus, non capisce più niente!

"Accidenti! Q-quello è F-franz! M-meglio scappare! C-certo che n-non posso l-lasciare qui le n-noci! N-non ci p-passa più la zampa, accidenti!"

Molla la noce e scappa! Ma Dragopapà è troppo goloso e non capisce che, finché tiene stretta la noce, la zampa non passerà dal buco. E così, per non voler mollare la noce appena afferrata, non riesce a liberarsi. Subito Franz approfitta dell'indecisione di Dragopapà e gli mette una sella sulla groppa.

"Adessoz ti domerò e farai tuttoz quelloz che ti dirò io!"

Il povero Dragopapà è disperato.

"La prego, s-signor Franz, n-non mi faccia f-fare tardi o mia moglie mi farà passare dei g-guai! Sa come sono le d-draghe..." Ma Franz è irremovibile e spietato. Lo lega a un palo e lo fa girare in tondo, dandogli di tanto in tanto una botta in testa, fino a quando alla domanda "Chi è il tuo padrone?" impara a rispondere: "Il mio padrone è Franz." Poi prova a cavalcarlo.

"C-che scemo sono s-stato! C-chissà quando l-lo saprà Mammadraga, mia m-moglie... Altro c-che le b-bastonate di F-franz!" pensa Dragopapà.

Certo ormai dell'obbedienza del drago, Franz lo sella e lo porta fino al vulcano Erebus.

Secondo la leggenda, ai piedi del vulcano cresce l'Erba Vulcana. Quando i draghi la mangiano, possono emettere fuoco e fiamme dalla bocca... per questo da secoli l'erba è stata proibita a Dragolandia.

"Gli gnomiz vedrannoz chi è il più fortez... quandoz arriverò su un drago provvistoz di lanciafiammez incorporato!" pensa Franz.

"Chi è il tuo padronez? Rispondi!"

L'attacco...

Trovata l'Erba Vulcana, Franz la fa mangiare al drago.

"Ehi, m-mi stanno d-davvero crescendo l-le ali! Che b-bello ! Però sento un po' di bruciore allo stomaco... c-chissà se posso anche s-sputare fuoco... Ahiaaa!" urla Dragopapà che, sbadigliando, si è mezzo bruciacchiato una zampa.

"Certoz che sputi fuocoz, testone! Prova a mirare là! Fuocoz! Non così, mangiaverdura! Riprovaz! Ancoraz, testone!" ordina Franz, per controllare la mira del drago.

Così Franz parte all'attacco: sorvola il villaggio degli gnomi e brucia tutto

quello che gli capita sotto tiro... compresi i pantaloni del Gigante in fuga.

Gli gnomi, presi completamente alla sprovvista dall'attacco di Franz, non sono preparati a difendersi.

"Al fuoco, al fuoco, qui brucia tutto!" si sente gridare.

"Pronti a decollare con le anatre del servizio antincendio? Avanti con la catena dei secchi d'acqua! Avvicinate il Tasso con il carretto dell'idrante!"

Gnomo Mago è occupatissimo a coordinare le operazioni di spegnimento dell'incendio. Barbarossa è su tutte le furie. "Se acchiappo quel mostriciattolo nero... un paio di pantaloni nuovissimi, usati appena tre anni e mezzo..." si lamenta il Gigante, noto per essere piuttosto tirchio.

"Altro che pantaloni, guarda i danni che ha fatto al villaggio! Comunque l'ho riconosciuto: è proprio Franz, lo gnomo che abbiamo scacciato dal villaggio un secolo e mezzo fa. Prevedo che avremo

guai... guai grossi! Chissà che cosa vuole da noi..."

Il Gigante intanto continua a tastarsi i pantaloni. "Non sono solo bruciacchiati, c'è qualcosa che mi punge... ecco, guardate, è una freccia! C'è attaccato anche un messaggio!"

Il messaggio viene subito letto ad alta voce, tra lo stupore e lo spavento di tutti gli gnomi presenti.

"Franz fa sul serio, ma anche noi non scherziamo! Gli daremo una bella lezione..." concludono tutti insieme.

Ormai è notte e Gnomo Mago continua a rigirarsi nel letto. "Speriamo di riuscire a sconfiggere Franz" pensa.

"Ma ci pensate che figura se dovessi presentarmi in camicia da notte... ah, devo ideare un piano che funzioni a tutti i costi..."

E, anche se molto preoccupato, pian piano si addormenta, sognando Franz che diventa il capo del villaggio degli gnomi...

"Tutti gli gnomi di età compresa fra i 600 e gli 800 anni devono presentarsi scalzi e senza berretto nella piazza del villaggio per ascoltare i miei ordini e fare atto di sottomissione. Gnomo Mago dovrà presentarsi in camicia da notte per ascoltare la mia sentenza."

Franz
lo gnomo nero

... e il contrattacco

Ma Gnomo Mago viene ben presto svegliato da Aceto.

"Ehm, so che è proibito, ma ero andato a fare un giro notturno con l'Unicorno e, quando ho sorvolato le montagne, ho visto qualcosa di verde in un crepaccio... era il drago di Franz! Si sono nascosti su una sporgenza rocciosa..."

"Per mille barbe di gnomo! Dici davvero? Sveglia tutto il villaggio, potremmo coglierlo di sorpresa nel sonno!" dice Gnomo Mago tutto agitato. "Però la prossima volta avverti qualcuno, ragazzo mio... sai che i voli notturni sono proibiti... non parliamone più visto che li hai trovati... diamoci da fare per organizzare qualcosa, piuttosto!" conclude saltando giù dal letto.

Il Falco Pellegrino parte subito per un rapido e silenzioso volo di ricognizione. E alla fine racconta: "Confermo tutto! Franz e quel drago si sono nascosti in un crepaccio. Li ho visti con il mio binocolo. Però non c'è modo di atterrare su quella sporgenza, è troppo stretta! E il crepaccio verso l'alto si restringe ancora, non so cosa potremmo fare..."

Così tutti si mettono a pensare...

Problema N° 1: chi è tanto piccolo da scendere in fondo al crepaccio inosservato e senza far rumore? (E chi ne ha il coraggio?)

Problema N° 2: come neutralizzare Franz e il drago? Finché dura l'effetto dell'Erba Vulcana, il Drago sputerà fiamme... e sicuramente nessuno ha voglia di finire arrosto.

Problema N° 3: bisogna prendere subito una decisione, perché non c'è molto tempo...

Nel silenzio generale, carico di tensione, si sente una vocina sottile sottile: "Io avrei un'idea..." Tutti si voltano.

A parlare è il Bruco, noto nel bosco per la sua lentezza.

Il povero Bruco ci mette una settimana per scendere dal suo albero, un mese per arrivare fino al ruscello e, probabilmente, ci metterebbe un anno per arrivare fino ai confini del bosco. È l'animale più lento del villaggio... persino la Lumaca è più veloce di lui!

"Ho sempre sognato di fare il paracadu-

tista e, se mi lanciassi io con tutti i miei fratelli che abitano negli alberi vicini, probabilmente non ci sentirebbero né scendere né atterrare, dato che siamo così leggeri... Forse l'Unicorno potrebbe portarci sopra la sporgenza e da lì ci potremmo lanciare... Mi piacerebbe tanto poter dimenticare almeno una volta che sono così lento e provare l'ebbrezza della velocità..." dice timidamente.

Nel silenzio generale si leva la voce di Barbarossa:

"Urrà per il Bruco! Questa sì che è un'idea!" Tutti si congratulano con lui per il suo coraggio.

"Già, ma che cosa faranno una volta atterrati?" si chiede Barbarossa. "Però, ora che ci penso... le ali del drago, se fossero bucate, probabilmente non lo sosterrebbero... Ho trovato! Basterà fare tanti piccoli buchi nelle ali del drago e Franz non potrà più volare!"

Il piano viene subito messo in atto: al chiarore della luna piena, l'Unicorno sgancia i quaranta bruchi paracadutisti, muniti di un ombrellino che si apre dopo il lancio. Silenziosi, dopo l'atterraggio i bruchi si mettono al lavoro, e fanno tanti piccoli fori nelle ali del drago, insensibili perché gli sono cresciute solo temporaneamente per effetto dell'Erba Vulcana...

Il lavoro dei bruchi termina all'alba. Ripiegato il loro ombrellino, tutti e quaranta iniziano la discesa: "Ci metteremo qualche mese ad arrivare fino al villaggio, ma ne valeva proprio la pena..." pensa il Bruco con soddisfazione "... il paracadutismo è proprio lo sport che fa per me!"

Quando si sveglia, Franz vede i buchi nelle ali e capisce subito tutto.

"Svegliatiz, testonez! Siamo nei guaiz! Dobbiamo scappare subitoz!"

"M-ma io n-non me la s-sento di volare con le ali bucate... e s-se non mi s-sostengono? La p-prego, signor Franz, io ho famiglia... ho due draghetti a casa che mi aspettano."

"Poche storiez! Buttati! Avantiz!" e Franz, sellato Dragopapà, prende il volo. Ma un attimo dopo i due precipitano in fondo al crepaccio...

"Era meglio starsene a casa, nonostante i dispetti di Draghetto e Draguzzo e le urla di Mammadraga... come mi mancano!" pensa Dragopapà.

Franz e Dragopapà prigionieri...

I due vengono portati al villaggio.
"Povero me," pensa Dragopapà "di male in p-peggio! Chissà che cosa mi d-dirà Mammadraga quando torno! Ormai sono tre giorni che m-manco da casa! E chissà cosa mi faranno questi gnomi... del resto, meglio così, non ne potevo più di Franz!"
Franz nel frattempo se ne sta zitto zitto, seduto in un angolo.
Che la botta in testa presa dopo la caduta gli abbia fatto perdere la memoria?

"*Ecco le tracce del babbo: tra poco dovremmo esserci!*"

Gli gnomi, indecisi sul da farsi, hanno messo lo gnomo Gelsomino a guardia dei prigionieri e, dopo tanto trambusto e preoccupazione, vanno finalmente a letto. Ma Gelsomino, stanco e assonnato, dopo un po' si appisola davanti al fuoco, senza prestare attenzione ai fruscii sospetti che provengono da un cespuglio poco lontano.

"Quasi quasi mi faccio un sonnellino, che male c'è se mi riposo un po'? Ora è tutto tranquillo... Solo cinque minuti!"
Ma passa qualche attimo e già russa rumorosamente.

All'improvviso un'ombra nera si disegna sul terreno e una zampa di drago muove circospetta i rami del cespuglio...
È Mammadraga che, impensierita per la scomparsa del marito, lo sta cercando.

"Alzati, zuccone, finalmente ti ho trovato. A casa faremo i conti..." gli dice e, dopo una tirata d'orecchie, lo libera. Ma subito dopo lo abbraccia e gli dà un bel bacio, perché è felicissima di rivedere Dragopapà!
Intanto Draguzzo dà un bel calcione a quell'antipatico di Franz, tanto non può scappare con quella palla al piede!
"Andiamo, ragazzi, si torna a casa!" ordina Mammadraga, spingendo avanti a sé Dragopapà, ancora legato al palo. Ma così non si accorge che Draguzzo è rimasto indietro.
"L'Erba Vulcana! Allora esiste davvero!" dice fra sé il piccolo drago, che si è impadronito dell'erba caduta di tasca a Franz. "Che occasione! Adesso la provo... chissà che fiammate!"

"Su, sbrigati, abbiamo una lunga strada da percorrere prima di arrivare a casa...
e anche voi due, ragazzi, sbrigatevi, prima che gli gnomi diano l'allarme!"

L'ostaggio

Ma, proprio mentre sta facendo le prime prove, un retino cala su di lui...
Il retino è di Vulcanus, lo gnomo fabbro, che subito lo mette in gabbia!
Accortasi che stavolta non manca il marito, ma uno dei figli, Mammadraga si rivolge a Dragoré.
"Chiedi subito la restituzione di Draguzzo!" gli dice.
"Cosa? Draguzzo è stato catturato dagli gnomi?" chiede Dragoré stupito.
"Finalmente un po' di tranquill... scusa, scusa, volevo dire... è proprio una vergogna, andrò a parlare col capo degli gnomi..." risponde. "Chissà che cosa potrebbero volere per tenerselo..." pensa tra sé "ma probabilmente non resisterebbero più di una settimana! Lo dirò a Mammadraga per consolarla..."

"Ehi, funziona! Quest'erba è proprio magica...
chissà che scherzi potrò fare ora!"

Intanto Vulcanus ha trovato il sistema per sfruttare le fiammate fornite dal piccolo drago per forgiare i suoi arnesi senza usare la fornace.

"Soffia anche qui, bravo... anche questo è fatto!" dice contento. "Speriamo che Gnomo Mago decida di trattenere questo draghetto ancora un po'... mi farebbe proprio comodo!" pensa Vulcanus.

"Vedrete quando arriva la mia mamma a liberarmi!" strilla intanto Draguzzo, pestando le zampe per terra. Non esiste draghetto più capriccioso di lui...

"Vi picchierà tutti con la clava! E a te strapperà i baffi, Vulcanus! E ti solleverà per le orecchie, proprio come fa con me e mio fratello!" A queste minacce Vulcanus ride divertito.

Intanto, Mammadraga ha fatto un giro di ricognizione per cercare di liberare il figlio (vedete i suoi occhioni gialli, fuori dalla caverna?), ma i folletti aspettano solo che tenti di entrare per bloccarle la strada con un grosso masso!

Nel frattempo Dragoré va a parlare con Gnomo Mago.

"Voglio la restituzione di Draguzzo e le vostre scuse ufficiali!"

"Restituiremo Draguzzo quando saremo sicuri che non verrete più a incendiare il nostro villaggio! E poi siamo noi a esigere delle scuse da voi!"

"Avete imprigionato illegalmente e senza regolare processo uno dei nostri abitanti, state attenti o vi sfidiamo a... Moscadraga... o a... Ruba la bandiera al drago!" risponde minaccioso Dragoré.

"Anche se siete così grossi, non ci fate proprio paura! E poi perché dovreste scegliere voi la sfida? Questi sono giochi da draghi! Perché invece non ci sfidate a Nascondignomino? Oppure a Pallagnoma? Eh? È una questione di principio!"

"Caro Gnomo, anche per noi è una questione di principio, abbiamo il nostro onore di draghi da difendere..." risponde Dragoré.

"Anche se siete grossi, non ci fate paura!
E poi perché dovreste scegliere voi la sfida?"
dice Gnomo Mago arrabbiato.

Avanti!

Gnomo Mago corre al villaggio e convoca un'assemblea straordinaria.
"Dobbiamo prendere una decisione" dice. "I draghi ci propongono una gara! Una sfida per vedere chi ha ragione e chi ha torto... Ma questa è una questione di principio, ne va di mezzo il nostro onore! E se non ci imponiamo stavolta, ci troveremo ancora nella stessa situazione in futuro! Però pensiamoci bene, perché quei draghi sono furbi e non so che cosa escogiteranno... Dobbiamo prepararci a tutto!"
Tutti gli abitanti del villaggio votano e alla fine la decisione è unanime: sfida!

Subito cominciano i preparativi e gli allenamenti, sotto la supervisione di Gnomo Mago, il capitano della squadra. Ma Gnomo Mago comincia subito ad avere dei dubbi: "Ma come può un gioco stabilire chi ha torto e chi ragione? E poi chi deciderà il tipo di sfida? Abbiamo giochi così diversi! Non potrà mai essere una gara equa... E poi il villaggio è così in trambusto... tutti sono agitati... Ne vale veramente la pena, solo per una questione di orgoglio e di principio? Bah!"
E così continua a meditare cercando di trovare un'altra soluzione...

Gli gnomi non sanno cosa aspettarsi dai draghi...
... e così si preparano a qualsiasi evenienza!
Gli allenamenti durano intere giornate...

Squadra degli gnomi

portabandiera

fuciliere
a tappo

fuciliere
a tappo

vice

capitano

vedetta

messaggero

esperti di strategie
alternative

esploratori

formazione a istrice

vogatori e nuotatori

mega pungiglioni

Barbarossa pron
a ritornare gigan

esploratori sotterranei

infermiere per ginocchia sbucciate

vedetta aerea

pannocchie "un po' troppo abbrustolite"

trombettiere

carro spargipepe per superstarnuti

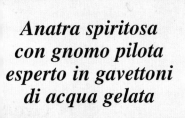

Anatra spiritosa con gnomo pilota esperto in gavettoni di acqua gelata

macchina sparaghiande

spruzzatori di liquido di puzzola

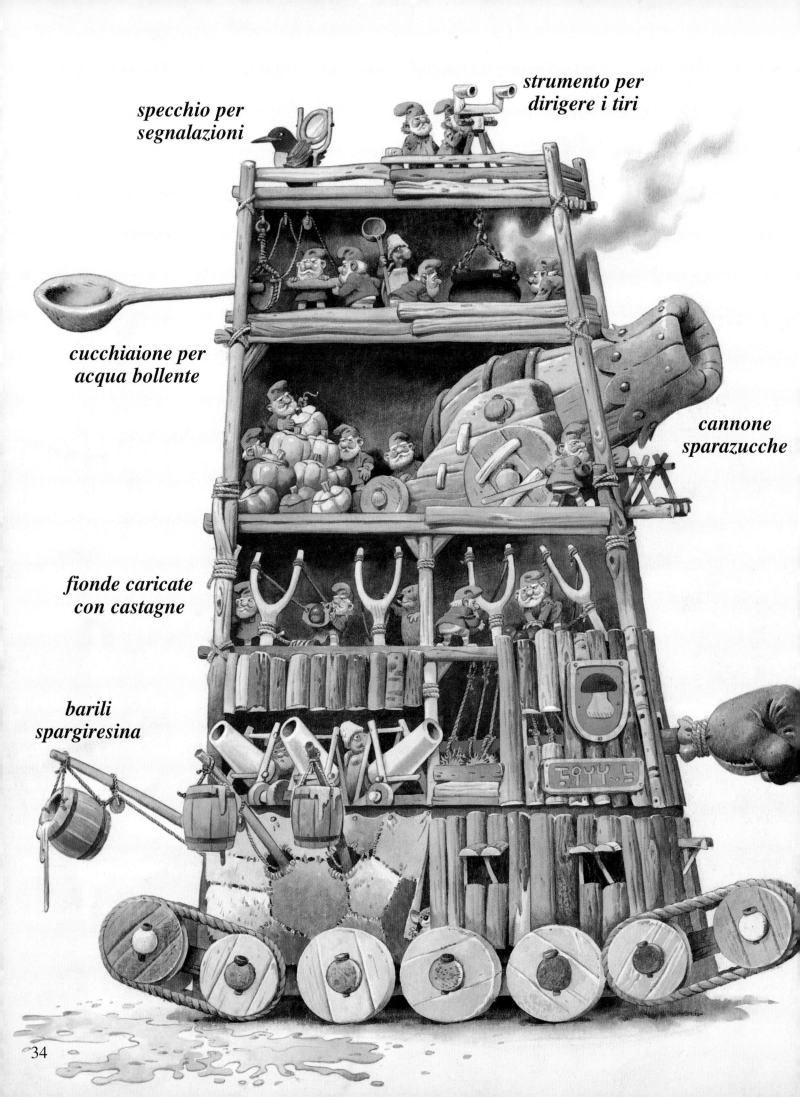

Squadra di Dragolandia

capitano

cavalieri in sella
a Tartadruga

cavalieri in sella
a Tartadruga

ariete

navetta per i giocatori di riserva

superfionda a cavallo

sparagavettoni

catapulta ad anguria

sparacocchi volante

raccattacocchi

Dragopapà sotto l'effetto dell'Erba Vulcana

Coccodrago stonato che canterà per stordire gli avversari

esploratori

carriola da gara di velocità

carriola da gara di velocità

supercarro punzecchiatore

Neppure i draghi sanno cosa aspettarsi dagli avversari...
... e così anche loro si preparano a qualsiasi evenienza!
E si allenano per ogni tipo di sfida...

Via!

Neanche a Dragolandia si perde tempo. Tutti i draghi si esercitano sotto il controllo di Dragoré, che ha appena suonato il Grande Tamburo dei Giochi, che a Dragolandia dà il via a tutte le gare che vengono disputate durante l'anno.

"Siete proprio convinti di volere questa sfida? Pensateci bene, draghi miei, quegli gnomi sono piccoli, ma sembrano molto furbi e chissà cosa potrebbero escogitare... Inoltre, non dimentichiamo che hanno dalla loro parte un gigante e persino una fata... e anche tre folletti... sono imprevedibili!"

"Dai, Dragoré, non avrai mica paura?" gli chiede un Cornopippus. Ma il vecchio e saggio Dragoré continua ad avere molti dubbi. "Ma che cosa dobbiamo dimostrare veramente? È giusto essere così orgogliosi? E quale gioco riuscirà a soddisfare tutti?" pensa fra sé.

Ma ecco arrivare da lui Gnomo Mago, preceduto da una bandiera bianca.

"Gli gnomi non accetteranno mai di sfidarvi a un gioco di Dragolandia... così come i draghi non vorranno mai giocare a una gara scelta dagli gnomi... non risolveremo niente, Dragoré! E non sarebbe comunque una sfida corretta!"

"Per mille fiammate, stavo giusto pensando la stessa cosa! Ma possibile che tra tutti i nostri giochi, non ne esista uno che conoscete anche voi?"

Pensa e ripensa, finalmente ne trovano uno: il tiro alla fune!

"Faremo un tiro alla fune gigante, a cui parteciperanno tutti gli abitanti del Bosco e tutti quelli di Dragolandia! Così avremo la possibilità di dimostrare chi è il più forte, con una sfida equa e senza altre preoccupazioni!"

"Ben detto!" conclude allegro Dragoré.

E finalmente arriva il giorno della sfida. I contendenti si mettono subito in posizione. Da una parte, la squadra degli gnomi e abitanti del bosco, guidati da Gnomo Mago, che schierano in prima fila il Gigante, per l'occasione riportato alla sua grandezza naturale, e dall'altra la squadra di Dragolandia, guidata da Dragoré.

Sono tutti molto concentrati...

"Siete proprio sicuri di non voler lasciar perdere?" chiede sottovoce Gnomo Mago a Dragoré prima di dare il "via".

"Ma, a esser sincero, io lascerei perdere volentieri! Cosa vuoi... sono vecchio, tutti questi strapazzamenti mi fanno male al cuore... e poi con questa storia della preparazione della squadra, è una settimana che non chiudo occhio... non ho più l'età per fare certe cose..."

"Non dirlo a me, l'altro giorno ho dovuto mettere i piedi a mollo per più di un'ora, per quanto mi facevano male... Tutto quel tempo in piedi! Per non parlare dei miei reumatismi... e poi quasi non mi ricordo più perché è ini-

"Forza, squadra del Bosco!"

ziata tutta questa storia..." risponde Gnomo Mago sconsolato.

"Il problema è che ormai non ci si può più tirare indietro, caro Gnomo Mago... certo che se ci fosse un modo onorevole per salvar la faccia e lasciar perdere tutto quanto..." mormora Dragoré.

"Eh, già, purtroppo ormai è troppo tardi" mormora Gnomo Mago.

"Su, forza! Iniziamo e facciamola finire in fretta! Avanti... e, come si dice in questi casi, che vinca il migliore!"

Le due squadre cominciano a tirare, con tutte le loro forze e con grandi grida di incitamento da una parte e dall'altra.

La fune si tira e si tende... ma tutti sono così in forma e le squadre si sono allenate così tanto, che nessuna delle due riesce ad avere la meglio.

Tira di qua, tira di là, per ora nessuno sembra vincere...

I due capi si guardano perplessi. Che cosa fare? Come porre fine alla sfida?

E la fune continua a non spostarsi...

Ma ecco che, non vista, si avvicina la fata Pignasecca.

"Forza, squadra di Dragolandia!"

"La Grande Fata mi ha proibito di partecipare a questa sfida, anzi mi ha raccomandato di non prendere le parti né degli gnomi né dei draghi e di restare nel mezzo. Bene... è proprio nel mezzo che resterò!" E, tratto di tasca un brillante dalle mille sfaccettature, lo volge verso il sole per poi dirigere verso la corda il raggio di sole riflesso.

Così il calore del sole si concentra in quell'unico raggio e scalda la corda fino a che, carbonizzata, finalmente cede e... ZAC! La corda si spezza esattamente al centro!

Con un tonfo che si sarà sentito anche a parecchie miglia di distanza, le due squadre rotolano a terra.

Gnomo Mago e Dragoré si guardano senza parole per la sorpresa.

Nessuno infatti capisce perché la corda si sia rotta così...

"Bene..." comincia Gnomo Mago che non sa bene che dire. "Bene, bene, bene, ehm..." continua Dragoré "direi che... siamo pari, no?"

"Ehm, direi di sì, si direbbe che siamo proprio pari!" conferma divertito Gnomo Mago, che comincia a trovare simpatico Dragoré.

E si rivolge alla sua squadra, dicendo: "Stringete la zamp... la mano al popolo di Dragolandia, siamo pari! Non ci sono vincitori né vinti, anzi... abbiamo vinto tutti! L'onore è salvo!"

Poi si gira verso Dragoré: "Perché non venite a farci visita al villaggio? Abbiamo dell'ottimo succo di mirtilli che vorrei farvi assaggiare... Poi scommetto che abbiamo più o meno la stessa età... Tu di che secolo sei?..."

"Ma anche a voi piace il succo di mirtilli? Anche a noi draghi..." E i due, chiacchierando, si incamminano.

Intanto Pignasecca torna verso casa.

"Pignasecca! Dove stai andando?" la chiama la voce della Grande Fata. "Non mi hai ubbidito..."

"Ma ho fatto come mi hai detto, non ho favorito nessuno e sono rimasta proprio nel mezzo!" risponde la Fata Nera.

"Eh, già... tutto è bene quel che finisce bene!" sospira infine la Grande Fata.

Una nuova amicizia

"Sei proprio il solito ingenuo" ripete Mammadraga a Dragopapà "spero almeno che questa volta tu abbia imparato qualcosa... Ma è possibile che ti ficchi sempre nei pasticci? E Draguzzo deve aver preso da te... sempre in mezzo ai guai!" e dà una sculacciata a Draguzzo. L'unica consolazione del piccolo drago è che, essendo la pelle dei draghi molto spessa, le sculacciate della mamma non fanno molto male!
Anche Draghetto non è tranquillo: non ha la coscienza pulita neanche lui... meglio squagliarsela, finché la mamma è occupata! E Franz?

Battendo la testa, ha perso la memoria e si è scordato ogni cosa ed è quindi diventato buono...
"Non capiscoz benez cosa ci faccio qui, anzi, a propositoz, come mi chiamoz? Mah, inutile preoccuparsi, mi verrà in mentez primaz o poiz... carinoz questo villaggio, pensoz proprio che mi fermerò qui... ma chissà perché è così bruciacchiatoz... e che stranez occhiatez mi lanciano tutti..."
Insomma, bene o male la vita nel villaggio riprende...
Anche Pignasecca, la Fata Nera, è molto soddisfatta.

"Così imparerai la lezione..."

Per fortuna tutto è finito bene... del resto, è proprio per questo che esistono le fate... per risolvere con una magia tutti i problemi!

Così tutto si conclude con una gran mangiata (e una gran bevuta di succo di mirtillo!) e, alla fine, tutti gli animali, gli gnomi, il Gigante, Pignasecca, i folletti e tutti gli abitanti di Dragolandia si ritrovano seduti a tavola a chiacchierare e a scherzare insieme. Uno dei più contenti è il Colloblù, che ha trovato un albero comodissimo per farci il nido.

"Se penso che per tanti anni ho fatto il nido su quella rupe... qui sì che si sta comodi" pensa mentre osserva dall'alto il banchetto.

"F-facciamo un b-bel b-brindisi agli gnomi!" propone Dragopapà, felicissimo di essere di nuovo libero, con il cappello di Gnomo Mago sulla testa.

Anche i folletti sono contenti: "Ma ci pensi" dice Zenzero "ormai nel bosco tutti conoscevano i nostri scherzi, mentre possiamo rifarli ai draghi che, di sicuro, non ne conoscono neanche uno! Speriamo però che non si arrabbino, perché grossi come sono..."

Tutti gli abitanti di Dragolandia si divertono ad ascoltare le storie degli abitanti del bosco. I draghi sono curiosi di conoscere tutti i dettagli e gli gnomi sono contenti di raccontare a qualcuno quello che nel villaggio ormai tutti conoscono.

Dragoré, poi, si complimenta per il succo di mirtillo: "È davvero molto buono, perfino più buono del nostro! Sapete, il nostro cresce tra le rocce e non diventa così succoso... e poi noi lo mischiamo con rocce tritate finissime... ma so che abbiamo gusti un po' strani..."

Forse vi sembrerà che a questo punto la storia sia finita, ma con gli gnomi, gli animali, i giganti, le fate, i folletti e i draghi non si può mai dire...

"Bello questo libro, eh?"

Monti delle pietre bollenti

Lago dell'anello

diga e caverna del gigante

statua dedicata agli gnomi

mulino

orto dei frutti giganti

campo di pallagnon

Guzznag

tronco da cui uscirono i Guzznag